COIN!
COIN!

Loi numéro 49 956 du 16 juillet 1949 sur les publications
destinées à la jeunesse : mars 2009
Dépôt légal : avril 2011
Imprimé en France par Pollina à Luçon - L55730
ISBN 978-2-211-20254-1

Jean-Charles Sarrazin

DIS BONJOUR !

l'école des loisirs

11, rue de Sèvres, Paris 6e

Ce que Lapinou déteste le plus au monde, c'est dire bonjour.

Ce matin-là, Lapinou et sa maman
croisent d'abord Madame Canard.
« Dis bonjour à Madame Canard »,
dit la maman de Lapinou.
Lapinou ne répond rien.

« C'est pourtant facile », dit
Madame Canard. « Écoute ! »
Elle s'approche de Lapinou,
et dans son oreille
crie très fort :
« COIN-COIN ! »
Lapinou se sauve…

COIN!

… Mais pas de chance, voilà Monsieur Éléphant qui, du bout de sa trompe, veut lui serrer la patte.
« Bonjour, Lapinou ! Comment ça va ? » crie Monsieur Éléphant en secouant Lapinou dans tous les sens.
Même si Lapinou voulait répondre, il ne le pourrait pas, la tête lui tourne bien trop.

Catastrophe ! Mademoiselle Cochon a aperçu Lapinou, elle aussi.
Elle se précipite sur lui et le couvre de baisers :
« Mon petit Lapinou chéri ! Sconch-sconch ! Bonjour bonjour ! »
Beurk ! pense Lapinou, qui ne dit toujours rien.

À peine a-t-il échappé à
Mademoiselle Cochon que
Monsieur Ours l’attrape et
le serre très fort contre lui.
« Bonjour, mon petit lapin !
Comment vas-tu ?! »
J’étouffe ! a très envie
de répondre Lapinou.

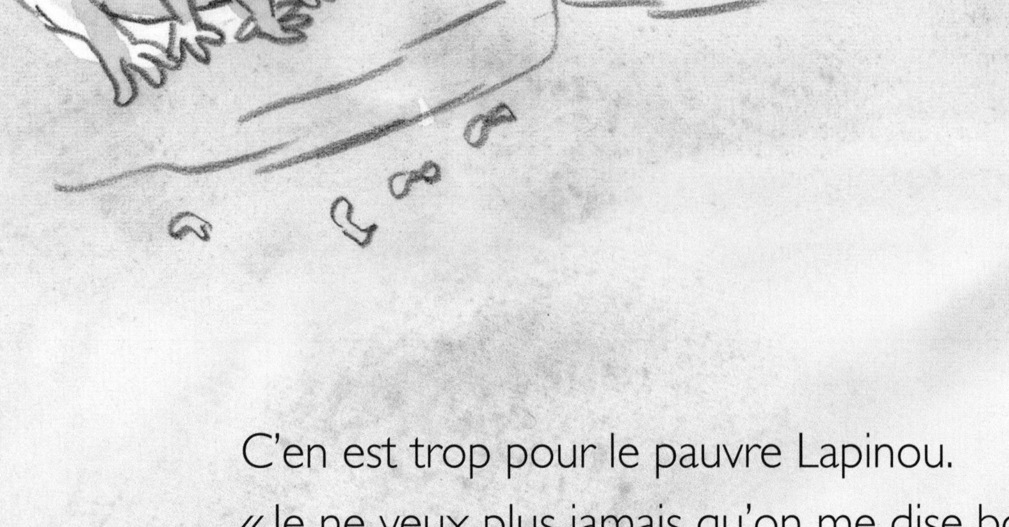

C’en est trop pour le pauvre Lapinou.
« Je ne veux plus jamais qu’on me dise bonjour ! »
s’écrie-t-il. « Et de toute ma vie, je ne dirai jamais
plus bonjour ! À personnne ! »
Il se sauve loin, très loin, le plus loin qu’il peut.

BONJOUR
BONJOUR
BONJOUR
BONJOUR!
BONJOUR
BONJOUR
BONJOUR

Lapinou n'est pas très rassuré, car il ne sait plus où il est. Tout à coup, il entend une voix :
« Bonjour, mon petit lapin… Comment ça va ? » C'est le loup.
Lapinou l'a tout de suite reconnu. Celui-là, vraiment, pas question de lui dire bonjour.

Lapinou essaie de se cacher sous une touffe d'herbe, mais le loup l'attrape par les oreilles.

« Dis donc, petit malpoli, on ne t'a jamais appris à dire bonjour ? »
« Ma maman me défend de dire bonjour aux inconnus », répond Lapinou.
« Moi ! Un inconnu ! » s'écrie le loup, vexé. « Mais tu plaisantes, tout le monde me connaît ! C'est moi qui terrorise les trois petits cochons, qui ai mangé le petit chaperon rouge et sa grand-mère, et l'agneau à la rivière…
Tout le monde me craint, et toi, tu ne me dis même pas bonjour ? »
Lapinou ne répond rien.
« Eh bien, tant pis pour toi ! » gronde le loup en montrant toutes ses dents.

« Ça suffit ! » barrit Monsieur Éléphant, furieux.
« Ah, tu veux qu'on te dise bonjour ! Je vais te dire bonjour, moi ! »
Et il attrape le loup par la queue et le fait tourbillonner dans les airs :
« Bonjour ! Bonjour ! Et rebonjour ! »

« À mon tour ! » crie Monsieur Ours en écrasant le loup contre lui.
« Bonjour, mon cher loup ! »

« Viens m'embrasser, mon gros loulou », dit à son tour Mademoiselle Cochon,
en étouffant le loup sous des baisers mouillés.

Le loup n’arrive plus à reprendre son souffle, il ne tient même plus sur ses pattes. Il s’écroule par terre et reste sans bouger.
C’est le moment que choisit Madame Canard pour lui dire bonjour, en lui criant dans l’oreille le plus retentissant des coin-coin.

Le loup bondit comme un ressort et s'enfuit,
sans dire au revoir à personne.

Maman Lapin serre fort son Lapinou dans ses bras.
« Bravo, mon chéri, tu as été très courageux. »
Puis elle ajoute : « Et maintenant, si tu disais bonjour à Madame Canard, à Monsieur Éléphant, à Monsieur Ours et à Mademoiselle Cochon ? »

Lapinou hésite, puis il répond :
« Demain, peut-être. »